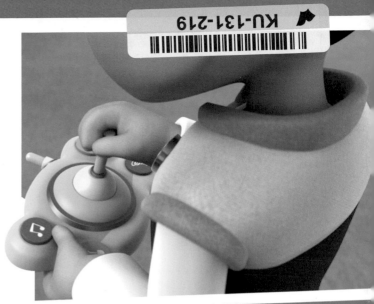

莱德说："我刚刚把它做出来。现在，让我们试试挖洞吧！"

莱德刚按下按钮，机器狗罗博就飞快地向地底下钻去。

莱德盯着罗博挖出的洞说："它这是去哪儿了啊？"

罗博从路马的狗狗屋地下钻出来，把正在睡觉的路马吓了一跳呢！

"哇，你是从哪儿冒出来的呀？"路马吃惊地问道。

莱德气喘吁吁地赶来了，说"不好意思，路马，我想你已经见过机器狗罗博了。接下来，我们让罗博试飞吧！"

汪汪队立大功儿童安全救援故事书

抢救机器狗

美国尼克儿童频道 / 著

安东尼 / 译

天地出版社 | TIANDI PRESS

莱德第一次展示他新发明的机器狗罗博。

"罗博，坐下！"莱德命令道。

"哇，太酷了！"天天赞叹道。

话音刚落，罗博的爪子就变成了四支小火箭，它"嗖"的一声飞向空中。

"哇！"所有的人都惊呼起来。

"它的速度真快啊！"莱德说。

各就各位，预备——

毛毛不服气地说："没有机器会比我跑得快！让我们来比赛吧！"

阿奇让毛毛和机器狗罗博并排站到起跑线上，用扩音器喊道："各就各位，预备，跑！"

跑！

我没事——

毛毛和罗博开始赛跑了。本来是毛毛领先，可是他突然被一段木头给绊倒了。

在穿过树洞时，又发生了意外。"我被卡住了！"毛毛大声喊道。

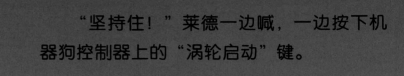

"坚持住！"莱德一边喊，一边按下机器狗控制器上的"涡轮启动"键。

机器狗像旋风一样飞快地钻进树洞，把毛毛推了出来。

冲出树洞的毛毛撞到了莱德，莱德碰巧一屁股坐在机器狗身上。

哎——

"哦，不！机器狗的天线坏了！"毛毛叫道。

机器狗一边抽搐着，一边发出嗡嗡声。莱德正想关闭机器狗，机器狗却突然挖了一个地道，消失了！

　　机器狗罗博从中央大街的地面钻了出来。

　　罗博直直地冲向了波特先生的水果摊，波特先生来不及躲闪，一下子把古威市长绊倒在地上，到处都成了一团糟。

古威市长急忙呼叫："莱德，快来帮忙！不知道谁的宠物狗发疯了！"

莱德回答说："那是我的机器狗！它突然失控了，我们会处理好的。"

"汪汪队，马上到塔台集合！"莱德立刻召集汪汪队。

狗狗们迅速向塔台赶去，准备行动。

莱德说："我们必须在罗博造成更大混乱之前阻止它！如果能切断它的电源，我就能想办法修好它。"

"天天，用你的变焦探测镜来确定它的位置。灰灰，我需要你做一个能抓住它的工具。"

"开启空中巡查！"天天叫道。

"旧物别丢掉，还有大用处。"灰灰叫道。

莱德说："剩下的队员，马上去清理罗博弄坏的物品！行动起来！"

天天驾驶着直升机在空中仔细地搜寻着罗博。

"罗博正在往水塔处冲去！"天天报告说。

罗博冲破水塔，又朝着宠物店撞去。

凯蒂和莉莉为了躲避它，竟然跳到了浴缸里。

"我想它不喜欢走狗狗专用门。"凯蒂心想。

撞击！

小砾和路马正在清理中央大街。

"只剩下这一个好西瓜了，波特
先生。"小砾说道。

波特先生说，"剩一个也不错！谢谢大家的帮忙。"

就在这时，罗博突然出现了，又把他们全都撞倒在地上。

最后一个西瓜也没保住，小砾无奈地叹了口气。

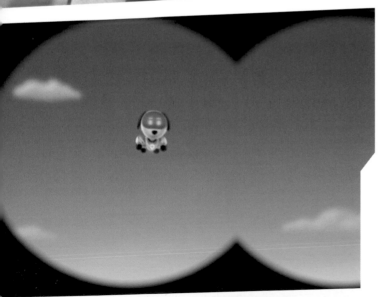

天天通过头盔对讲机呼叫莱德："莱德，你的机器狗正朝我冲来！"

莱德说："你能把它引向灰灰的卡车那边吗？"

"我会竭尽全力的！"天天说完，避开了直冲而来的机器狗。

这时，灰灰正在做一个能抓住机器狗的磁铁装置。"马上就好了！"灰灰边忙边说。

天天将机器狗引向莱德和灰灰。

灰灰启动了磁铁装置，U型磁铁飞上天空，牢牢地吸住了机器狗。

莱德说："干得漂亮，灰灰！该你上场了，天天！"

天天降下直升机的挂钩，抓牢了磁铁，大声喊道："机器狗狗回家啦！"

天天把机器狗放在波特先生家的小院里。刚落到地面上，
机器狗又想逃，莱德立马关掉了它的电源。

"我想它得重新大修了。"莱德有些难过。

灰灰说："别难过，莱德！我有一截旧天线可以给你用。"

莱德给机器狗换上天线，重新启动它。

机器狗恢复正常啦！

"谢谢你，灰灰！谢谢狗狗们！没有你们，我可搞不定它。"莱德说。

"哈哈，只要你有需要，莱德——"灰灰说。

"就呼叫汪汪队！"狗狗们一起说道。

"你们真是太棒啦！"莱德开心地说。

汪汪队救援行动指南

抢救机器狗行动指南

小朋友，你还记得聪明勇敢的汪汪队今天完成了什么任务吗？他们是怎么做的呢？我们一起来看今天的行动指南吧！

发现问题

 机器狗失控了，我们该怎么办？

我有办法

 首先，切断机器狗的电源。

 然后，修理机器狗。

 制作磁铁装置，吸住机器狗。

 钩住机器狗，把它送回家。

 给机器狗提供旧天线。

成功啦

只要你有需要，就呼叫汪汪队！

汪汪队功劳榜

小朋友，在抢救机器狗的行动中，狗狗们的表现是不是很棒呢？我们把狗狗和他们分别完成的任务连起来，表扬一下他们立下的功劳吧！

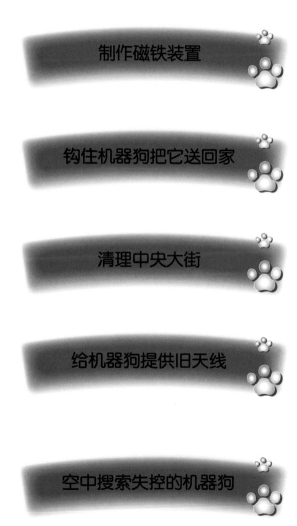

制作磁铁装置

钩住机器狗把它送回家

清理中央大街

给机器狗提供旧天线

空中搜索失控的机器狗

快乐排序

小朋友，你还记得这个故事都说了什么吗？下面就请你按故事发生的先后把正确的排列顺序填到括号里吧！

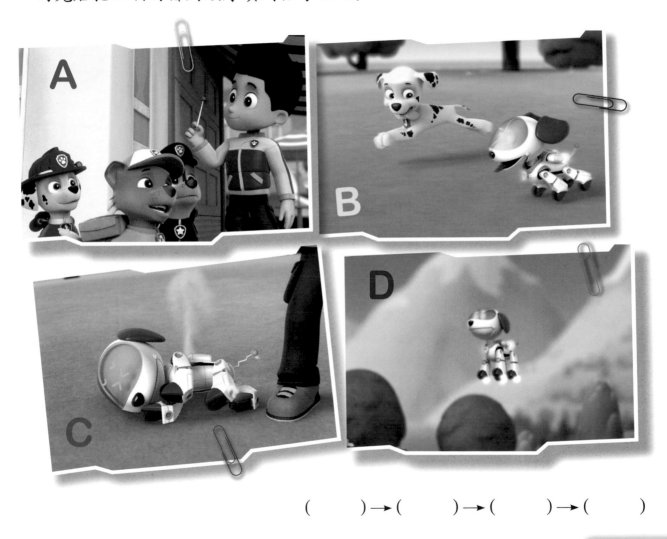

(   ) → (   ) → (   ) → (   )

快乐迷宫

毛毛和莱德打赌，说他可以走出一个有虫子、大树等障碍物的迷宫。小朋友，你能帮毛毛画出正确的路线吗？

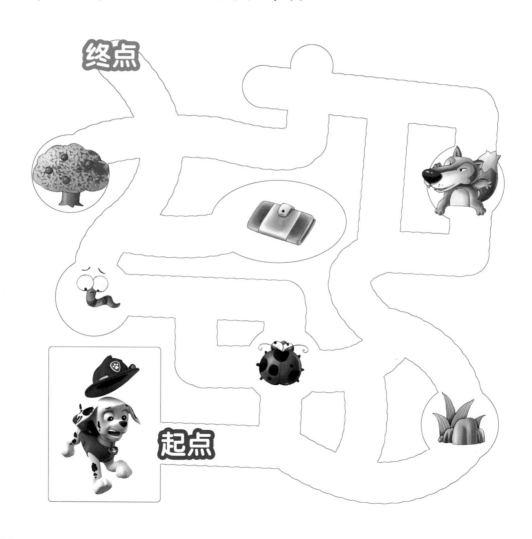

终点

起点

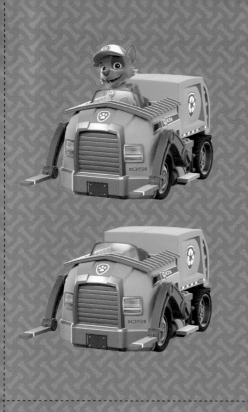

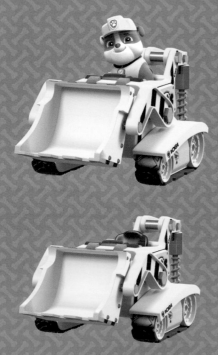

快乐涂色

小朋友，快拿起你手中的画笔，为下图中的人物涂上美丽的颜色吧！

图书在版编目（CIP）数据

汪汪队立大功儿童安全救援故事书．抢救机器狗 /
美国尼克儿童频道著；安东尼译．— 成都：天地出版
社，2017.3

ISBN 978-7-5455-2363-8

Ⅰ．①汪… Ⅱ．①美… ②安… Ⅲ．①儿童故事 – 图
画故事 – 美国 – 现代 Ⅳ．① I712.85

中国版本图书馆 CIP 数据核字 (2016) 第 283542 号

出品策划： 文轩出品

网　　址：http://www.huaxiabooks.com

著作权登记号 图字：21-2017-04-13 号

抢救机器狗

出 品 人	杨　政	总 经 销	新华文轩出版传媒股份有限公司
策划编辑	李红珍　戴迪玲	印　　刷	北京瑞禾彩色印刷有限公司
责任编辑	陈文龙　夏　杰	开　　本	889×1194　1/20
特邀编辑	张　剑	印　　张	1.6
版权编辑	郭　淼	字　　数	10 千字
装帧设计	谭启平	版　　次	2017 年 3 月第 1 版
责任印制	董建臣	印　　次	2017 年 6 月第 3 次印刷
出版发行	天地出版社	书　　号	ISBN 978-7-5455-2363-8
	（成都市槐树街 2 号　邮政编码：610014）	定　　价	12.80 元
网　　址	http://www.tiandiph.com		